POUR
BIMBO ET SKIPPY,
ET TOUS CEUX
QU'ILS AIMENT.

ET POUR CROSBY,
QUI AIME TOUT LE MONDE
MAIS TOUT PARTICULIÈREMENT
LAURA JEAN.

Remerciements tout particuliers à Robin Barnett,
initiateur du projet SAFE, et à la police de San Francisco

Traduit de l'américain par Agnès Desarthe
© 2005, l'école des loisirs, Paris, pour l'édition en langue française
© 1995, Peggy Rathmann pour le texte et les illustrations
Titre de l'édition originale : «Officer Buckle and Gloria» (G. P. Putnam's Sons, New York)
Loi numéro 49 956 du 16 juillet 1949 sur les publications
destinées à la jeunesse : janvier 1981
Dépôt légal : septembre 2005
Imprimé en France par Aubin Imprimeur à Poitiers

PEGGY RATHMANN

L'agent Boucle

et

GLORIA

l'école des loisirs
11, rue de Sèvres, Paris 6ᵉ

L'agent Boucle connaissait plus de consignes de sécurité
que n'importe qui à Somnanville. Chaque fois
qu'un nouveau conseil lui venait à l'esprit, il le punaisait
sur son grand tableau.
Conseil numéro 77 : « Ne grimpez jamais sur une chaise pivotante. »

L'agent Boucle dispensait ses conseils de sécurité
aux élèves de l'école de Somnanville.
Personne ne l'écoutait jamais. Parfois, les enfants
se mettaient même à ronfler.

Après ça, il retournait à ses affaires courantes.
Madame Brinquebale, la directrice de l'établissement,
décrochait la banderole d'accueil.
«Ne grimpez jamais sur une chaise pivotante», disait l'agent Boucle,
mais Madame Brinquebale ne l'entendait jamais.

Puis, un beau jour, la police municipale de Somnanville
fit l'acquisition d'un chien policier répondant au nom de Gloria.
Quand il fut temps pour l'agent Boucle d'aller dispenser
ses conseils de sécurité aux élèves de l'école, il emmena Gloria
avec lui.

«Les enfants, je vous présente Gloria», annonça l'agent Boucle.
«Gloria obéit à tous mes ordres. Regardez. Gloria, assise !»
Et Gloria s'assit.

L'agent Boucle donna son premier conseil :
« Veillez à ce que vos lacets soient toujours attachés ! »
Les enfants se levèrent et le regardèrent, fascinés.

L'agent Boucle se tourna pour vérifier
que Gloria était bien assise comme il le lui avait ordonné.
Elle n'avait pas bougé d'un poil.

«Conseil numéro 2», dit l'agent Boucle. «Nettoyez aussitôt si vous avez renversé quelque chose, avant que quelqu'un marche dedans, glisse et tombe!»
Les yeux des enfants étaient écarquillés.

L'agent se tourna de nouveau pour vérifier si Gloria était sage.
« Bon chien », dit-il.
L'agent Boucle se rappela un nouveau conseil qu'il avait mis
au point le matin même.

«Ne laissez jamais traîner une punaise à un endroit
où vous risquez de vous asseoir!»
Les enfants éclatèrent de rire.

L'agent Boucle sourit. Il dévoila le reste de ses
consignes de sécurité avec beaucoup d'expressivité.
Les enfants applaudissaient et l'encourageaient.
Certains riaient tant qu'ils en pleuraient.
L'agent Boucle était étonné. Il n'aurait jamais imaginé
que les conseils de sécurité pouvaient être drôles.
Après cette intervention, il n'y eut plus un seul accident
dans l'école, ni ailleurs.

Le lendemain, une énorme enveloppe arriva
au commissariat de police.
Elle était remplie de lettres de remerciements des élèves
de l'école de Somnanville.

Chaque lettre était décorée d'un dessin représentant Gloria. L'agent trouva que les enfants avaient fait preuve de beaucoup d'imagination.

Sa lettre préférée était en forme d'étoile. On y lisait :

L'agent Boucle était en train de punaiser la lettre de Claire
sur son tableau lorsque le téléphone se mit à sonner.
Des écoles élémentaires, des collèges, des centres aérés l'appelaient
pour lui demander de venir faire son cours sur les consignes
de sécurité dans leur établissement.
«Agent Boucle», disaient-ils, «nos élèves ont très envie d'entendre
vos conseils sur la sécurité ! Et, s'il vous plaît, amenez votre chien.»

L'agent Boucle alla dispenser ses conseils dans 313 écoles. Partout où Gloria et lui se rendaient, les enfants se levaient pour mieux écouter.

Après chaque séance, l'agent Boucle offrait une glace à Gloria.
L'agent Boucle appréciait tant sa compagnie.

Puis, un jour, une équipe de télévision vint filmer
l'agent Boucle dans l'amphithéâtre d'un collège.

Lorsqu'il termina par la consigne de sécurité
numéro 99 : «N'allez jamais nager
par temps d'orage !», les élèves bondirent de leurs sièges
pour applaudir.

«Bravo ! Bravo !» crièrent-ils joyeusement.
L'agent Boucle salua, s'inclinant profondément.

Le soir venu, l'agent Boucle se regarda aux informations de dix heures.

Le lendemain, la directrice de l'école de Somnanville
appela le commissariat :
« Bonjour, agent Boucle ! Nous vous attendons
pour votre conférence sur les consignes de sécurité ! »
L'agent Boucle fronça les sourcils.
« Je ne donne plus de conférences ! Personne ne me prête
attention, de toute manière ! »
« Ah », dit Madame Brinquebale. « Et Gloria ? Elle peut
peut-être venir toute seule ? »

Un autre agent de police amena Gloria en voiture
jusqu'à l'école.
Gloria s'assit sur scène, l'air esseulé. Puis, elle s'endormit.
Le public l'imita.
Après le départ de Gloria, il se produisit, dans l'école
de Somnanville, le plus grave accident qu'il y ait jamais eu.

Tout commença par une petite flaque de crème de banane
qui avait été renversée et que personne n'avait nettoyée…

SPLACH ! TOUT ÉCLABOUSSÉ !
SPLOUCH !

Tous les élèves glissèrent

et furent précipités sur Madame Brinquebale,

qui hurla et lâcha son marteau.

Le lendemain matin, une pile de lettres arriva au commissariat de police.

Chacune d'elles contenait un dessin illustrant l'accident de la veille.

L'agent Boucle fut choqué.

Tout en bas de la pile, il découvrit un mot écrit sur une feuille découpée en forme d'étoile.

L'agent Boucle sourit.

Le message disait :

Gloria donna un gros bisou sur le nez
de l'agent Boucle.
L'agent Boucle lui caressa affectueusement le dos.
Puis, il mit au point le meilleur
de tous ses conseils de sécurité…

Consigne de sécurité numéro 101 :
« Ne vous séparez jamais de votre meilleur ami ! »